Lettrage de couverture : Nathalie Tousnakhoff

© Éditions Nathan/VUEF (Paris-France), 2001 pour la première édition
© Éditions Nathan (Paris-France), 2007 pour la présente édition
Conforme à la loi n°49956 du 16 juillet 1949 sur les publications destinées à la jeunesse
ISBN 978-2-09-251402-3
N° éditeur : 10136078 - Dépôt légal : février 2007
Imprimé en Italie

Lulu-Grenadine est mal lunée

Laurence Gillot
Lucie Durbiano

Lulu-Grenadine

passe le week-end

avec son papa

et la chienne Louna.

– Tu avais promis qu'on irait
camper ! dit Lulu-Grenadine
d'un ton grognon.

Papa prend tendrement
Lulu-Grenadine dans ses bras
et l'emmène devant la fenêtre :

– Regarde, petit oiseau à plumes,
il pleut !

– Sous la tente, on est à l'abri !
proteste Lulu-Grenadine.

– Tu as raison, mais on ne peut
pas sortir, pas bouger. En plus,
on risque d'attraper froid...

– Eh bien moi, je veux y aller
quand même ! crie Lulu-Grenadine.
– Eh bien moi, jolie mésange,
je te dis que je t'emmènerai
quand il y aura du soleil dans le ciel !
   Mais Lulu-Grenadine se met
à pleurer et, de ses deux poings,
elle frappe la poitrine de son père.

– Eh ! oh !
Va taper sur ton oreiller !
lui ordonne papa en la déposant

par terre.

Lulu-Grenadine court dans sa chambre
en hurlant :
– Je ne te parle plus !
   Et elle claque la porte.

– Va consoler Lulu ! chuchote papa
à la chienne.

Louna file, elle pose une patte
sur la poignée et se glisse dans la pièce.

Lulu-Grenadine est recroquevillée au pied de son lit. Louna enfouit son museau entre ses genoux.

– Toi au moins, t'es gentille !

murmure Lulu-Grenadine en la caressant. Viens, on va jouer.

– Toi, t'es la poupée
et moi, je suis
la maman. Oh,
je vais t'habiller,
tu es toute nue !

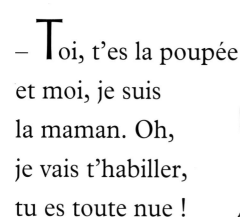

Lulu-Grenadine
prend une jupe
et un foulard et
elle les met à Louna.

La chienne
n'aime pas
du tout ça
et se sauve au salon.

– Lulu ! appelle papa sèchement, viens ici !
Je ne veux pas que tu déguises Louna.
Elle a l'air ridicule. On n'est pas au cirque ici !

Lulu-Grenadine fixe son père droit dans les yeux et s'écrie :
– Je veux aller au cirque !
Papa ne répond pas.
– Je veux y aller !
répète Lulu-Grenadine en lançant ses chaussons loin devant elle.

– Mais enfin, qu'est-ce que tu as ?
demande papa.

– Avec toi, on ne peut jamais rien faire !
lance Lulu-Grenadine en sanglotant.

– Ça me rend triste, dit papa,
quand tu es mal lunée comme ça !
On ne se voit pas si souvent et j'avais
envie de passer deux bonnes journées
en ta compagnie.

Puis papa s'installe dans un fauteuil
et feuillette un journal.
Couchée sous la table de la salle à manger,
Lulu-Grenadine boude. Elle dessine
en reniflant. Elle s'applique,
elle colorie et…
s'endort.

Papa regarde Lulu-Grenadine. Sa joue rose
repose sur une dizaine de petits cœurs
de toutes les couleurs. C'est son dessin !
Dessus, elle a écrit PAPA.
Papa chuchote avec tendresse :
– Petite belette sauvage,
je vais te préparer une surprise.

En silence, papa monte la tente igloo
au milieu du salon.
Il déplie les sacs de couchage,
installe quelques oreillers à l'intérieur
et va chercher Lulu-Grenadine.

Il la porte sans la réveiller et il sourit,
car elle a un cœur rouge imprimé sur la joue !
Puis il attend que Lulu-Grenadine se réveille
en continuant à lire tranquillement.

– Papa ! entend-il soudain.

Il se lève et passe sa tête
sous la toile. Lulu-Grenadine
lui saute au cou, elle l'embrasse,
elle le serre entre ses bras.

– On dort là cette nuit !
s'écrie-t-elle en riant.

– Bien sûr ! s'exclame papa.
Ce week-end, on avait prévu
de camper, non ?

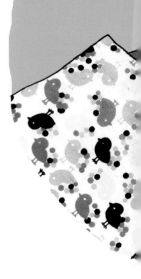

Tu as aimé cette histoire, découvre

★Série **Lulu-Grenadine**
des histoires de Laurence Gillot,
illustrées par Lucie Durbiano

Lulu-Grenadine sauve les doudous

Ce matin, dans la classe, Lulu-Grenadine
et Lou, sa copine, sont tristes. Elles ne veulent
pas laisser leurs doudous dans la caisse
à doudous. Lulu-Grenadine a une idée…

Lulu-Grenadine est amoureuse

Lulu-Grenadine est amoureuse de Youcef,
le petit voisin. Elle devient même rouge
comme une tomate quand il la regarde !

Lulu-Grenadine en tutu

Lulu-Grenadine s'entraîne pour le spectacle
de danse. Sa grande copine Lou lui dit qu'elle
danse comme un pingouin ! Lulu-Grenadine
sera-t-elle prête pour le Grand Jour ?

Un petit kangourou trop doudou !

une histoire de Jo Hoestlandt,
illustrée par Cyril Hahn

Maman kangourou a déjà trois bébés.
Un quatrième sort de son ventre. Et il n'y a
plus de place pour petit kangourou
dans la poche de sa maman !

vite dans la même collection :

★ Série *Arthur*

des histoires de Gudule,
illustrées par Claude K. Dubois

Arthur et l'oreiller qui mord

Arthur découvre sur son lit un oreiller tout
neuf. Arthur n'est pas content du tout. Il aimait
tant le vieux… Et, de plus, l'oreiller le mord !
Cela ne se passera pas comme ça !

Bonne nuit, les moutons !

une histoire de Hubert Ben Kemoun,
illustrée par Dorothée de Monfreid

Pour s'endormir, compter les moutons
c'est magique, a dit sa maman à Léo.
Vraiment magique ?

Trop petit !

une histoire de Marc Cantin,
illustrée par Charlotte Roederer

Jonathan s'ennuie. Il décide d'aller aider
les grands. Oui, mais les grands le trouvent
trop petit. Trop petit pour tout ?